Sous la direction de S. Coutausse
Illustrations : L. Thibaudier
Mise en page : F. Rey

© Éditions Scarabéa jeunesse- 2008
34-38, rue Blomet - 75015 Paris - France - (33) 01 45 56 02 85
www.scarabea.com

Imprimé en Chine en Janvier 2010

978-2-84914-061-1
Ne peut être vendu séparément du coffret correspondant

Ce livre est pour

....

de la part de

....

Scarabéa

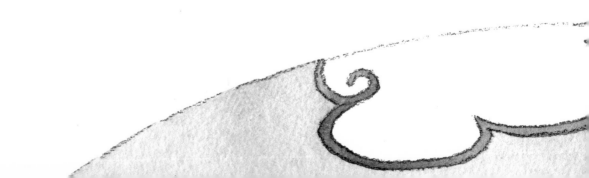

Mes Premières Comptines

Sommaire

9 Le numéro que tu vois dans l'orange
correspond à l'ordre des chansons sur ton CD.

Une poule sur un mur

Une poule sur un mur
Qui picote du pain dur
Picoti, picota,
Lève la queue et puis s'en va.

Quand trois poules...

Quand trois poules vont aux champs,
La première va devant,
La deuxième suit la première,
La troisième vient la dernière.

Quand trois poules vont aux champs,
La première va devant.

Un petit cochon

Un petit cochon
Pendu au plafond
Tirez-lui le nez
Il donnera du lait !
Tirez-lui la queue
Il pondra des œufs !

Combien
en voulez-vous ?

Une souris verte

Une souris verte,
Qui courait dans l'herbe,
Je l'attrape par la queue,
Je la montre à ces messieurs.
Ces messieurs me disent :
Trempez-la dans l'huile,
Trempez-la dans l'eau,

Je la mets dans un tiroir,
Elle me dit : Il fait trop noir,
Je la mets dans mon chapeau,
Elle me dit : Il fait trop chaud.

Ça fera un escargot
Tout chaud.

Je la mets dans ma culotte
Elle me fait
trois petites crottes !

Gentil coquelicot

Je descendis dans mon jardin (bis)
Pour y cueillir du romarin.

Gentil coquelicot, Mesdames,
Gentil coquelicot nouveau !

Je n'en avais pas cueilli trois brins (bis)
Qu'un rossignol vint sur ma main.

Il me dit trois mots en latin (bis)
Que les hommes ne valent rien.

Et les garçons encore bien moins ! (bis)
Des dames, il ne me dit rien.

Des dames, il ne me dit rien.
Mais des demoiselles beaucoup de bien.

Meunier, tu dors !

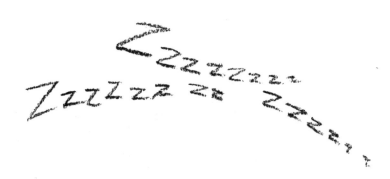

Meunier, tu dors,
Ton moulin, ton moulin va trop vite,
Meunier, tu dors,
Ton moulin va trop fort

Ton moulin, ton moulin va trop vite,
Ton moulin, ton moulin va trop fort.

Le grand cerf

Dans sa maison,
Un grand cerf,
Regardait par la fenêtre,
Un lapin venir à lui,
Et frapper à l'huis :

Cerf, cerf, ouvre-moi !
Ou le chasseur me tuera !
Lapin, lapin, entre et viens,
Me serrer la main !

Petit escargot

Petit escargot
Porte sur son dos
Sa maisonnette.

Aussitôt qu'il pleut,
Il est tout heureux,
Il sort sa tête !

Ainsi font, font, font...

Les mains aux côtés,
Sautez, sautez, marionnettes,
Les mains aux côtés,
Marionnettes, recommencez.

Ainsi font, font, font,
Les petites marionnettes,
Ainsi font, font, font,
Trois petits tours
Et puis s'en vont.

La taille courbée,
Tournez, tournez, marionnettes,
La taille courbée,
Marionnettes, recommencez.

Puis le front penché,
Tournez, tournez, marionnettes,
Puis le front penché,
Marionnettes, recommencez.

Ainsi font, font, font, les petites marionnettes

À la volette

Mon petit oiseau,
A pris sa volée (bis)
A pris sa, à la volette (bis)
A pris sa volée.

Est allé se mettre, sur un oranger
Sur un o, à la volette (bis)
Sur un oranger.

La branche était sèche
Et elle s'est cassée (bis)
Et elle s'est, à la volette (bis)
Et elle s'est cassée.

28

Mon petit oiseau,
Où t'es-tu blessé ? (bis)
Où t'es-tu, à la volette (bis)
Où t'es-tu blessé ?
Je me suis cassé l'aile,
Et tordu le pied (bis)...

Mon petit oiseau,
Veux-tu te soigner ? (bis)...

Je veux me soigner,
Et me marier (bis)...

Me marier bien vite
Sur un oranger (bis)
Sur un o, à la volette (bis)
Sur un oranger.

Au clair de la lune

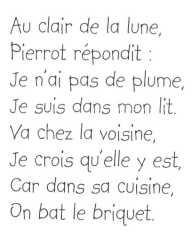

Au clair de la lune,
Mon ami Pierrot,
Prête-moi ta plume
Pour écrire un mot ;
Ma chandelle est morte,
Je n'ai plus de feu,
Ouvre-moi ta porte
Pour l'amour de Dieu.

Au clair de la lune,
Pierrot répondit :
Je n'ai pas de plume,
Je suis dans mon lit.
Va chez la voisine,
Je crois qu'elle y est,
Car dans sa cuisine,
On bat le briquet.

Au clair de la lune,
S'en fut Arlequin
Frapper chez la brune,
Elle répond soudain :
Qui frappe de la sorte ?
Il dit à son tour :
Ouvrez votre porte,
Pour le dieu d'amour !

Au clair de la lune
On n'y voit qu'un peu.
On chercha la plume,
On chercha du feu.
En cherchant de la sorte,
Je ne sais ce qu'on trouva ;
Mais je sais que la porte
Sur eux se ferma.

Pêche, Pomme, poire ...

Pêche, pomme, poire, abricot,
Y'en a une, y'en a une,
Pêche, pomme, poire, abricot,
Y'en a une de trop.

C'est l'abricot
Qui est en trop !

Alouette

Alouette, gentille alouette,
Alouette, je te plumerai.

Je te plumerai la tête
Je te plumerai la tête
Et la tête (bis)
Alouette (bis)
Ah !

Je te plumerai le bec
Je te plumerai le bec
Et le bec (bis)
Et la tête (bis)
Alouette (bis)
Ah !

Je te plumerai le ventre ...

Je te plumerai le cou ...

34

Je te plumerai le dos ...

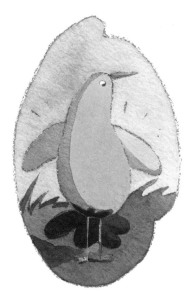

Je te plumerai les ailes ...

Je te plumerai la queue ...

Je te plumerai les pattes (bis)
Et les pattes (bis)
Et la queue (bis)
Et les ailes (bis)
Et le dos (bis)
Et me ventre (bis)
Et le cou (bis)
Et le bec (bis)
Et la tête (bis) ...

Un kilomètre
à pieds...

Un kilomètre à pieds,
Ça use, ça use,
Un kilomètre à pieds,
Ça use les souliers.

Deux Kilomètres ...
Trois Kilomètres ...
Quatre Kilomètres ...
Cinq Kilomètres ...

Le furet

Il court, il court, le furet,
Le furet du bois, Mesdames,
Il court, il court, le furet,
Le furet du bois joli.

Il est passé par ici,

Il repassera par là.

Il court, il court, le furet,
Le furet du bois, Mesdames,
Il court, il court, le furet,
Le furet du bois joli.

Mon beau sapin

Mon beau sapin, roi des forêts,
Que j'aime ta verdure !
Quand par l'hiver, bois et guérets,
Sont dépouillés de leurs attraits,
Mon beau sapin, roi des forêts,
Tu gardes ta parure !

Mon beau sapin, tes verts sommets
Et leur fidèle ombrage !
De la foi qui ne ment jamais,
De la constance, et de la paix,
Mon beau sapin, tes verts sommets
M'offrent la douce image.

Toi que Noël planta chez nous,
Au saint anniversaire !
Joli sapin, comme ils sont doux,
Et tes bonbons, et tes joujoux !
Toi que Noël planta chez nous,
Tout brillant de lumière !

1, 2, 3 allons dans les bois ...

1, 2, 3
Allons dans les bois

4, 5, 6
Cueillir des cerises,
7, 8, 9
Dans mon panier neuf

10, 11, 12
Elles seront toutes rouges.

La cloche du vieux manoir

C'est la cloche du vieux manoir,
Du vieux manoir,
Qui sonne le retour du soir,
Le retour du soir.

Ding, ding, dong !
Ding, ding, dong !

Flic, Flac, Floc

Flic, floc,
Flic, flac, floc,
C'est la pluie qui tombe.
Flic, floc,
Flic, flac, floc,
De plus en plus fort.

Flic, floc,
Flic, flac, floc,
C'est la pluie qui mouille.
Et qui me chatouille
Me voilà trempée
De la tête aux pieds !

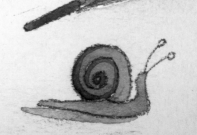

Dans la forêt lointaine

Dans la forêt lointaine,
On entend le coucou.
Du haut de son grand chêne,

Il répond au hibou :
Coucou, coucou !
On entend le coucou.

La Barbichette

Je te tiens
Tu me tiens
Par la barbichette.

Le premier
De nous deux
Qui rira
Aura une tapette !

Am Stram Gram

Am stram gram
Pic et pic et colégram
Bourre et bourre et ratatam
Am stram gram

Pic !

Le petit ver de terre

Qui a vu, dans la rue
Le petit ver de terre ?
Qui a vu, dans la rue
Le petit ver tout nu.

C'est la grue, qui a vu
Le petit ver de terre !
C'est la grue, qui a vu
Le petit ver tout nu.

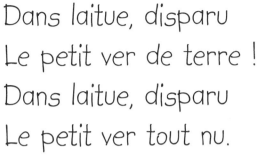

Dans laitue, disparu
Le petit ver de terre !
Dans laitue, disparu
Le petit ver tout nu.

Et la grue, n'a pas eu
Le petit ver de terre !
Et la grue, n'a pas eu
Le petit ver tout nu.

Un petit bonhomme

Un petit bonhomme
Assis sur une pomme
La pomme dégringole
Le petit bonhomme s'envole
Sur le toit d'un maître d'école.

Les petits poissons

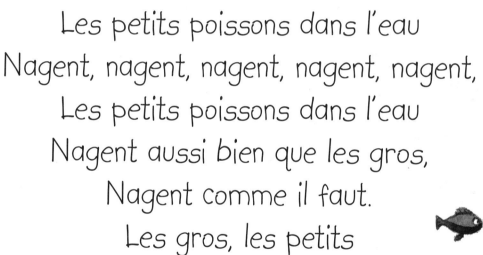

Les petits poissons dans l'eau
Nagent, nagent, nagent, nagent, nagent,
Les petits poissons dans l'eau
Nagent aussi bien que les gros,
Nagent comme il faut.
Les gros, les petits
Nagent bien aussi.

Petit Papa

Petit papa, c'est aujourd'hui ta fête,
Maman m'a dit que tu n'étais pas là.
J'avais des fleurs pour couronner ta tête
Et un bouquet pour mettre sur ton cœur.
Petit papa, petit papa.

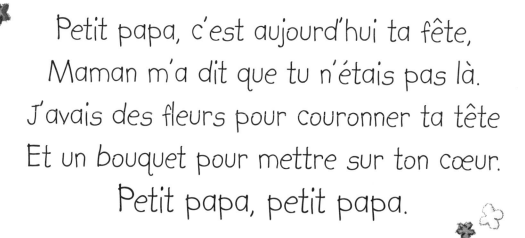

Y'a une pie dans le poirier

Y'a une pie dans le poirier,
J'entends la pie qui chante,
Y'a une pie dans le poirier,
J'entends la pie chanter.

J'entends, j'entends,
J'entends la pie qui chante,
J'entends, j'entends,
J'entends la pie chanter.

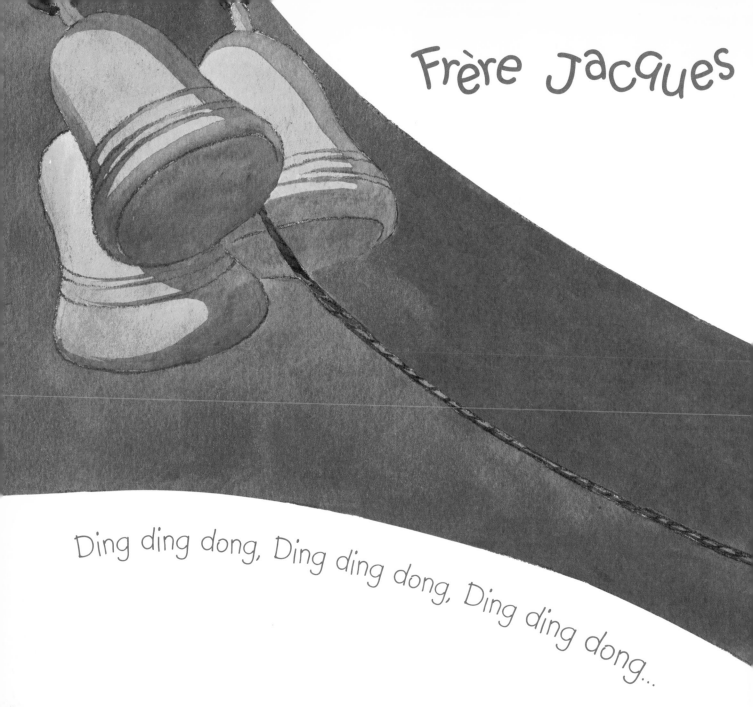

Frère Jacques

Ding ding dong, Ding ding dong, Ding ding dong...

Frère Jacques, frère Jacques
Dormez-vous ? Dormez-vous ?
Sonnez les matines,
Sonnez les matines
Ding, ding, dong !
Ding, ding, dong !

Pomme de Reinette

Pomme de reinette et pomme d'api
Tapis tapis rouge,
Pomme de reinette et pomme d'api
Tapis tapis gris.

J'aime la galette

J'aime la galette,
Savez-vous comment ?
Quand elle est bien faite,
Avec du beurre dedans.
Tra la la la la la la la lalère...
Tra la la la la la la la la. (bis)

Monsieur Pouce

Toc, toc, toc

Monsieur Pouce, es-tu là ?

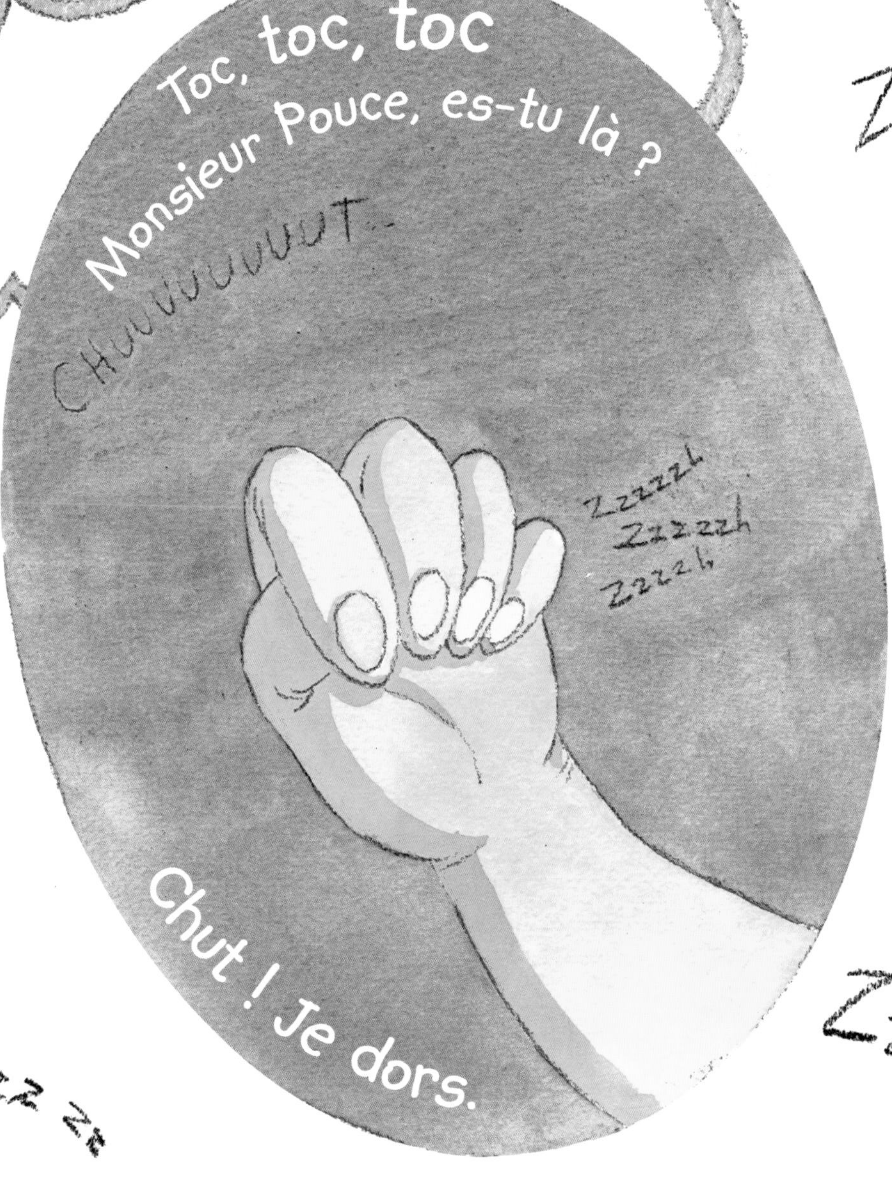

Chut ! Je dors.

Zzzzzz
zzzzzz
Toc, toc, toc
Monsieur Pouce, es-tu là ?
Oui, je sors.
zzzz zz

À la soupe

À la soupe, soupe, soupe,
Au bouillon, ion, ion,
La soupe à l'oseille,
C'est pour les demoiselles,
La soupe à l'oignon,
C'est pour les garçons.

Bateau - Ciseau

Bateau, ciseau, la rivière, la rivière,
Bateau, ciseau, la rivière au bord de l'eau.

Le bateau s'est renversé,
Dans la rue des chiffonniers.
Qu'est ce que la marraine ?
C'est une hirondelle !
Qu'est ce que le parrain ?
C'est un gros lapin !

Vent frais

Vent frais, vent du matin,
Vent qui souffle au sommet des grands pins,
Joie du vent, qui souffle,
allons dans le grand
Vent frais, vent du matin ...

Le p'tit Quinquin

Dors, mon p'tit Quinquin,
Mon p'tit poussin, mon gros raisin.
Tu me feras du chagrin,
Si tu ne dors point jusqu'à demain.

78

Dors, min p'tit Quinquin,
Min p'tit pouchin, min gros rogin
Te m'feras du chagrin,
Si te n'dors point ch'qu'à d'main.

Il était une fois...

Il était une fois,
Une marchande de foie,
Qui vendait du foie,
Dans la ville de Foix
Elle se dit : Ma foi !
C'est la dernière fois,
Que je vends du foie,
Dans la ville de Foix !

Dodo, l'enfant do

Dodo, l'enfant do,
L'enfant dormira bien vite,
Dodo, l'enfant do,
L'enfant dormira bientôt.

Un canard
a dit à sa cane

Un canard a dit à sa cane :
Ris, cane ; ris, cane.
Un canard a dit à sa cane :
Ris, cane ;

et la cane a ri !

Scions du bois

Scions, scions, scions du bois
Pour la mère, pour la mère,

Scions, scions, scions du bois
Pour la mère à Nicolas...

Qu'a cassé ses sabots
En mille morceaux.

Colas, mon petit frère

Fais dodo, Colas mon petit frère,
Fais dodo, t'auras du lolo.

Maman est en haut qui fait du gâteau,
Papa est en bas qui fait du chocolat.

Fais dodo, Colas mon petit frère ...

Ta sœur est en haut, qui fait du chapeau,
Ton frère est en bas, qui fait des nougats,

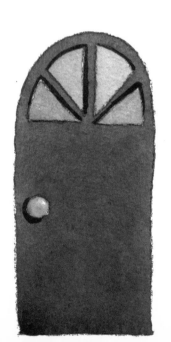

Fais dodo, Colas mon petit frère

Ton cousin Gaston fait des gros bonbons,
Ta cousine Charlotte fait de la compote.

Fais dodo,
Colas mon petit frère,
Fais dodo, t'auras du lolo.

Au feu, les pompiers !

Au feu, les pompiers,
Voilà la maison qui brûle !
Au feu, les pompiers,
Voilà la maison brûlée !

C'est pas moi qui l'ai brûlée,
C'est la cantinière.
C'est pas moi qui l'ai brûlée,
C'est le cantinier.

90

Au feu, les pompiers,
Voilà la maison qui brûle !
Au feu, les pompiers,
Voilà la maison brûlée !

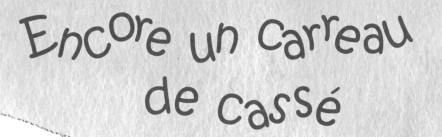

Encore un carreau de cassé

Encore un carreau de cassé,
Voilà le vitrier qui passe,
Encore un carreau de cassé,
Voilà le vitrier de passé.

Voilà le vitrier, voila le vitrier,
Voilà le vitrier qui passe
Voilà le vitrier, voila le vitrier,
Voilà le vitrier de passé !